그러므로 온갖 곳에서 이 진언을 구하여 사경하고、사경한 후에는 큰 길가에 있는 탑
속에 봉안하여 오고가는 중생들과 새와 짐승과 나비、파리、개미들까지 모두 지옥이나
여러 나쁜 갈래를 여의고 천궁에 태어나서 항상 숙명통을 얻고 퇴전하지 않게 하라。
〈무구정광대다라니경〉

다길 김경호

다길 김경호 쓴 전통사경 5

무구정광대다라니경

제1부

대한불교조계종
제19교구본사 智異山大華嚴寺

발 간 사

30여년 前 출가하기 위해 華嚴도량에 들어서면서 모든 것이 낯설었던 시간이 생각납니다. 조석예불마다 覺皇殿 부처님의 장엄한 모습에서 出家本分事를 되돌아보았다면 언제나 편안하게 다가오던 보제루의 華藏이라는 두 글자는 華嚴行者의 어려움을 견뎌낸 어머니의 품과도 같은 추억이었습니다. 그리고 기억에 남은 또 하나의 장면은 도량 한 구석에 수북하게 쌓여서 잊혀진 歷史로만 존재했던 華嚴石經의 破片들이었습니다. 언젠가는 좋은 인연들의 願力을 하나로 모아 華藏世上의 근본도량으로 丈六殿 華嚴石經을 復元하리라는 꿈같은 誓願을 세워본 시절이었습니다.

경자년 새해를 맞아 신라백지묵서화엄경과 화엄석경의 오랜 사경 전통이 살아있는 華嚴寺에서 그 誓願의 첫걸음으로 傳統寫經院을 개원하면서 국내 최고의 寫經法師이신 김경호 선생님을 모시고 사경강좌를 개설하게 된 것은 문수보살이 선재동자에게 맺어준 善根因緣功德이라 생각합니다. 寫經은 단순하게 부처님의 말씀을 글자로 옮겨 쓰는 일이 아니라 부처님의 삶과 사상을 우리의 몸과 마음으로 체화하는 지극한 祈禱로서 자기 修行이자 또 다른 成佛의 길입니다. 寫經行者들이 한 마음으로 부처님의 法音을 담고자 하는 誓願을 붓 끝에 깊이 새겨서 많은 衆生들의 마음속에 살아있는 佛性을 보여준다면 그것이 바로 사경수행의 正法眼藏이라 할 수 있을 것입니다. 나아가 華嚴世上을 장엄하는 無心한 그 붓 끝에서 마음·부처·중생이 서로 共感하고 共鳴하는 慈悲喜捨의 墨香이 온 세상으로 퍼져나갈 것임을 믿어 의심치 않습니다.

이 좋은 강좌를 위하여 직접 체본을 바탕으로 훌륭한 사경책자 『華藏』을 제작해주신 김경호 선생님과 화엄선재불교연구소 실무자들에게 감사의 말씀을 드리며 올 한해 화엄원에서 진행되는 사경강좌가 衆生들의 걸림 없는 佛心을 깨우쳐 주는 無量功德으로 원만하게 회향되기를 부처님 전에 다시 한번 간절히 기원합니다. 저 자신부터 올 한해는 신라백지묵서화엄경을 사경하신 연기스님의 마음이 되어 각황전 부처님 전에 두 손 모아 사경발원문을 올립니다.

我今誓願盡未来　所成經典不爛壞
假使三灾破大千　此經与空不散破
若有衆生於此經　見佛聞經敬舍利
發菩提心不退轉　修普賢因速成佛

내가 사경한 이 경전이 오래도록 전승되기를 일념으로 서원하면서
만일 큰 재난으로 삼천대천세계가 부서진다 해도
이 사경은 허공과도 같아서 훼손되지 말지어다
그래서 모든 중생들이 이 경전을 의지하여
부처님을 뵈옵고, 법문을 들으며, 사리를 받들어 모시고,
불퇴전의 자세로 보리심을 내어서
보현보살 행원으로 속히 성불하기를 기원하옵니다

佛紀 2564(2020)年 庚子年 元旦
대한불교조계종 제19교구본사 화엄사주지 草岩 德門 합장

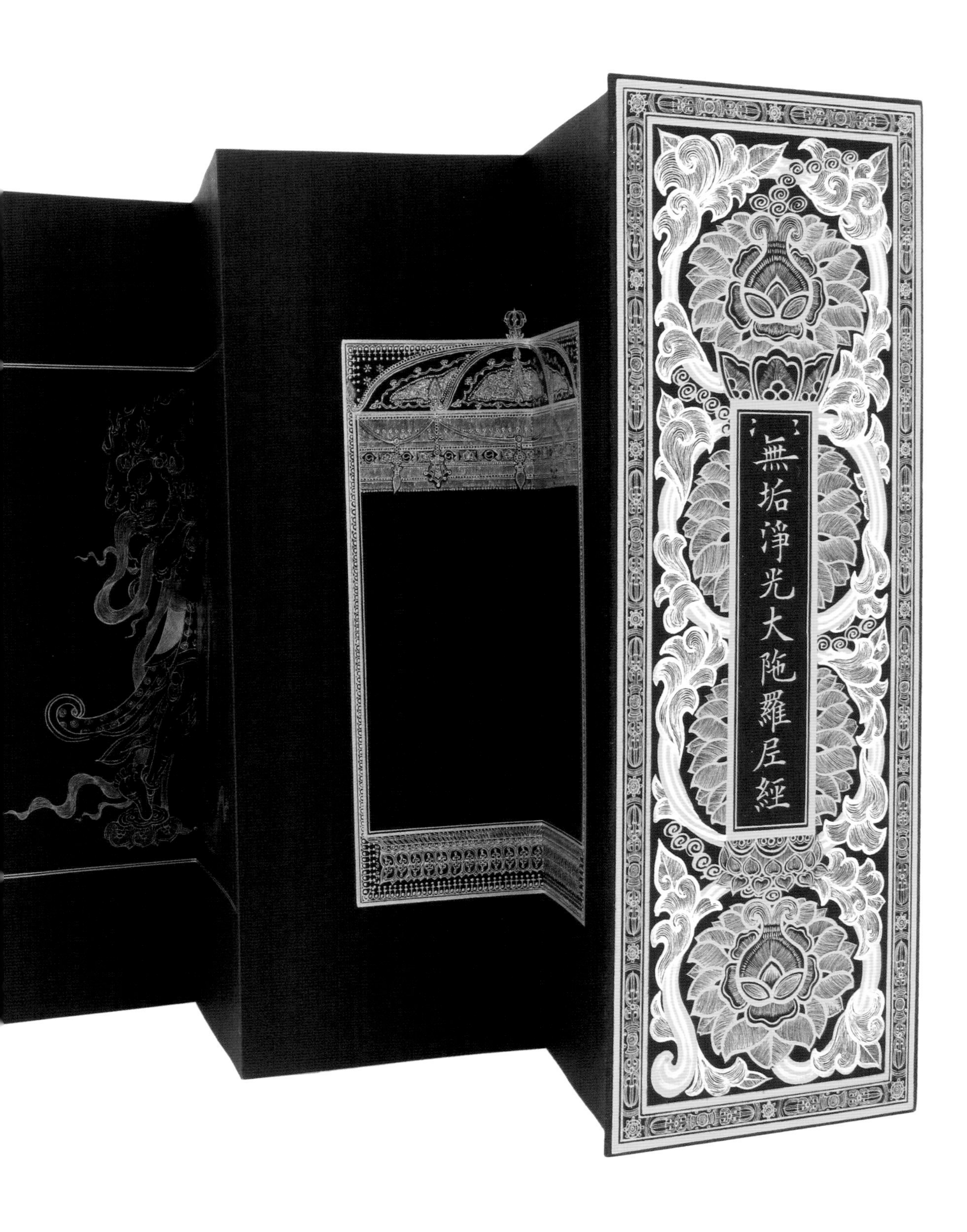
無垢淨光大陁羅尼經

〈무구정광대다라니경〉 34.0 / 820.0cm 감지, 금분, 은분, 녹교, 명반 절첩 (총 72절면)
각 절면 31.6 / 11.4cm (20.7 / 11.4cm)
사성기장엄난 2절면 31.6 / 22.75cm (20.7 / 13.1cm)
신장도 2절면 (19.6 / 22.0cm)
변상도 2절면 (19.6 / 22.75cm)
경문 63.5절면
천두 6.5cm, 천지간 19.6cm, 지각 5.5cm
사성기 2.5절면 (19.6 / 28.5cm)

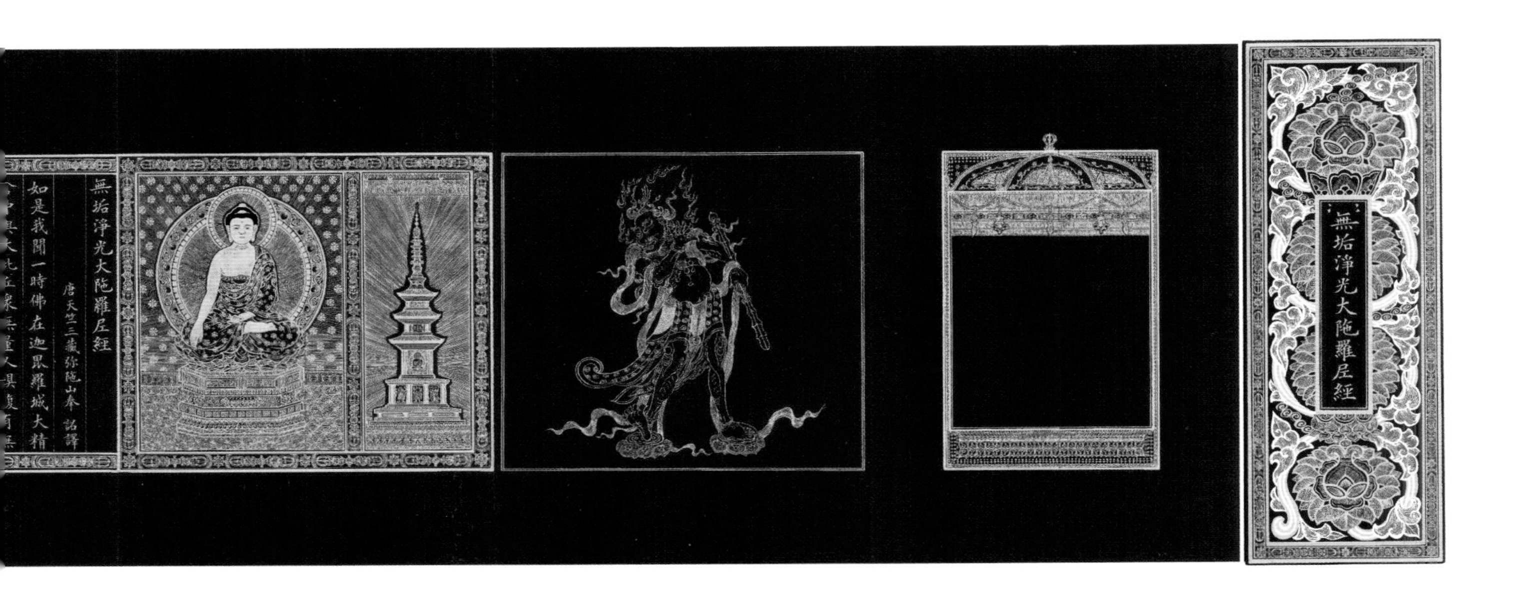
無垢淨光大陀羅尼經
唐天竺三藏彌陀山奉 詔譯
如是我聞一時佛在迦毘羅城大精
無垢淨光大陀羅尼經

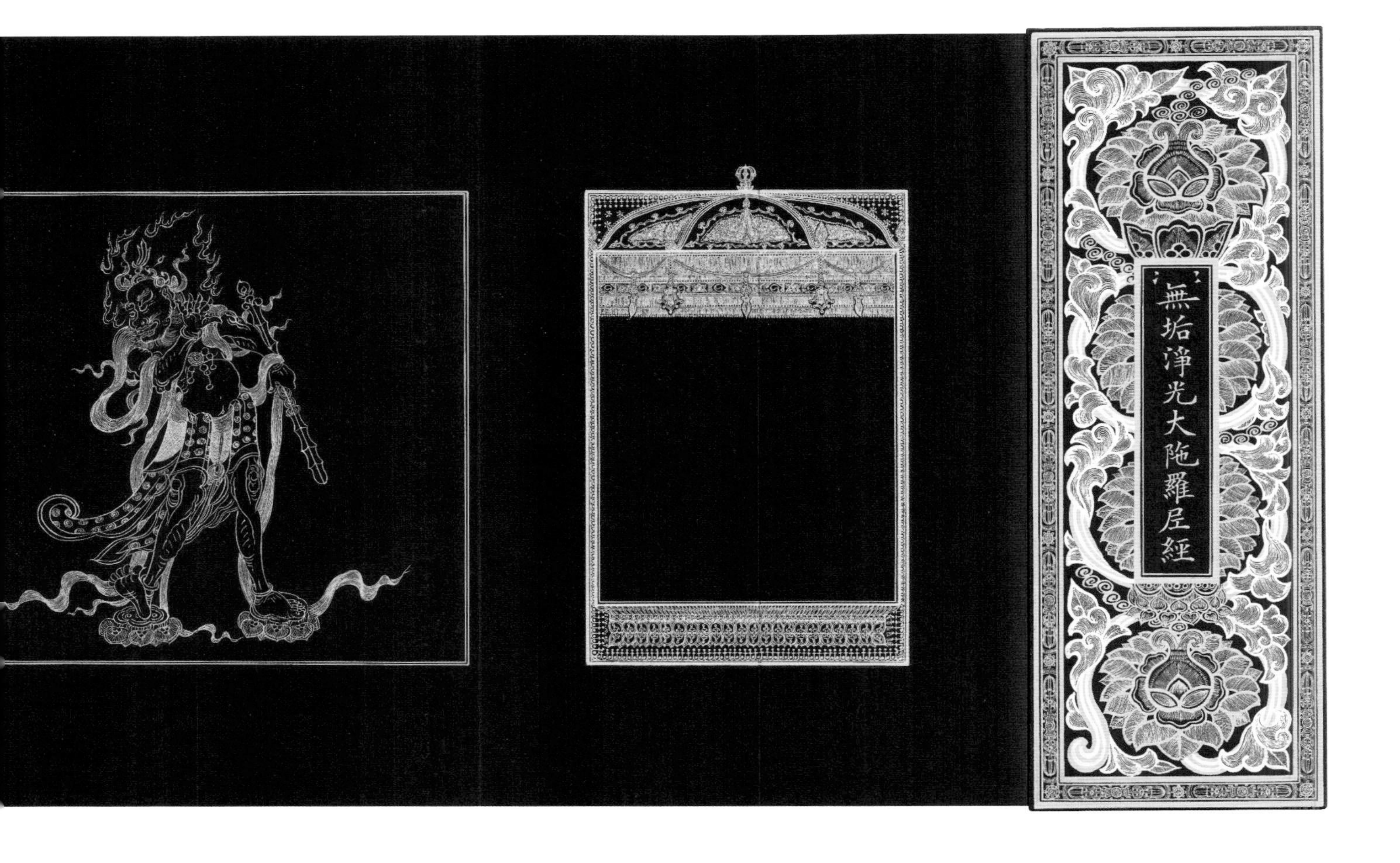
無垢淨光大陀羅尼經

阿修羅迦樓羅緊那羅摩睺羅伽人
非人等無量大衆恭敬圍遶而為說
法時彼城中有大婆羅門名劫比羅
戰荼歸敬外道不信佛法有善相師
而告之言大婆羅門汝却後七日必
當命終時婆羅門聞是語已心懷愁
惱驚懼怖畏作是思惟誰能救我我
當依誰復作是念沙門瞿曇稱一切
智證一切智我當詣彼若實是一
切智者必當說我憂怖之事作是念
已即往佛所於衆會前遥觀如來意
欲請問而懷猶豫時釋迦如來於三
世法無不明見知婆羅門心之所念
以慈軟音而告之言大婆羅門汝却
後七日定當命終墮可畏處阿鼻地
獄從此復入十六地獄出已復受旃
陁羅身命終之後復生猪中恒居臭
泥常食糞穢壽命長時多受衆苦後
得為人貧窮下賤不淨臭穢醜形黑
瘦乾枯癩病人不喜見其咽如針恒
乏飲食為人撾打受大苦惱時婆羅
門聞是語已生大恐怖悲泣憂愁疾
至佛所頂禮雙足而白佛言如來即
是救濟一切諸衆生者我今悔過歸
命世尊唯願救我大地獄苦佛言大
婆羅門此迦毘羅城三岐道處有古
佛塔於中現有如來舍利其塔崩壞
汝應往彼重更修理及造相輪橖寫
陁羅尼以置其中興大供養依法七
遍念誦神呪令汝命根還復增長久
後壽終生極樂界於百千劫受大勝
樂次後復於妙喜世界亦百千劫如
前受樂後復於諸兜率天宮亦百千
劫相續受樂一切生處常憶宿命除
一切障滅一切罪永離一切地獄等
苦常見諸佛恒為如來之所攝護婆
羅門若有比丘比丘尼優婆塞優婆
夷善男女等或有短命或多病者應
修故塔或造小泥塔依法書寫陁羅
尼呪呪索作壇由此福故命將盡者
復更增壽諸病苦者皆得除愈永離
地獄畜生餓鬼耳尚不聞地獄之聲
何况身受時婆羅門聞此語已心懷
歡喜即欲往彼故壞塔所依教修營
時衆會中除蓋障菩薩從坐而起合
掌白佛言世尊何者是彼陁羅尼法
而能生長福德善根佛言有大陁羅
尼名最勝無垢清淨光明大壇場法
諸佛以此安慰衆生若有聞此陁羅
尼者滅五逆罪閉地獄門除滅慳貪
嫉妬罪垢命短促者皆得延壽諸吉

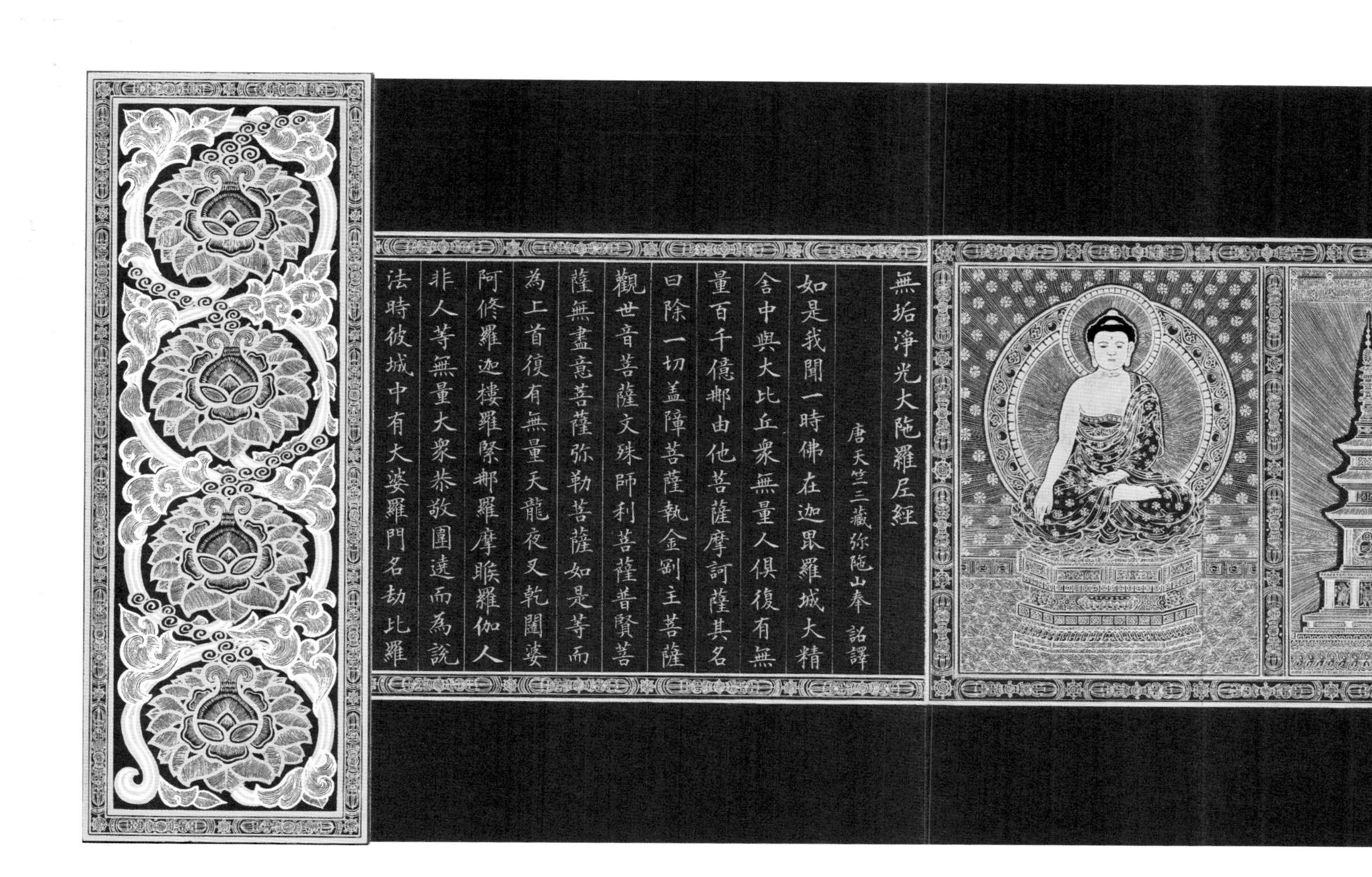
無垢淨光大陁羅尼經
唐天竺三藏弥陁山奉 詔譯
如是我聞一時佛在迦毘羅城大精
舍中與大比丘衆無量人俱復有無
量百千億那由他菩薩摩訶薩其名
曰除一切蓋障菩薩執金剛主菩薩
觀世音菩薩文殊師利菩薩普賢菩
薩無盡意菩薩弥勒菩薩如是等而
為上首復有無量天龍夜叉乾闥婆
阿修羅迦樓羅緊那羅摩睺羅伽人
非人等無量大衆恭敬圍遶而為說
法時彼城中有大婆羅門名劫比羅

〈무구정광대다라니경〉에 대하여

* 약칭으로 '무구정경無垢淨經' 이라 칭명되기도 한다. 704년 도화라국覩貨邏國의 승려 미타산彌陀山(667-720)이 법장法藏 등과 함께 한역하였다. 통일신라시대 조탑造塔 소의경전으로 널리 사경되고 납탑 봉안된, 우리나라 사경의 역사에서 가장 중요시되는 경전의 하나다. 황복사삼층석탑皇福寺三層石塔에서 나온 사리함의 명문에 706년 불사리佛舍利, 금제아미타불상과 함께 〈무구정광대다라니경〉을 추가로 봉안하였다는 기록이 있어서 우리나라에 늦어도 706년 이전에 전래되었음을 알 수 있다. 역시 8C初에 건립된 것으로 추정되는 경주 나원리5층석탑에서도 백지묵서 〈무구정광대다라니경〉의 다라니 사경 지편紙片들이 발견되어 이러한 사실을 뒷받침해 준다.

뿐만 아니라 1966년 불국사 석가탑 2층 탑신부 사리공舍利孔에서 발견된 현존하는 세계 최고最古의 목판 인쇄물인 국보 제126호 〈무구정광대다라니경〉은 우리나라가 세계 인쇄문화의 종주국이었음을 증명해 주는 세계사적인 유물이다. 이 목판 인쇄본이 불국사 석가탑 건립 연대인 742년까지는 판각되고 인출印出되었어야 납탑 봉안이 가능했다는 점을 고려한다면 704-742년간에 제작되었음을 추정할 수 있다. 이는 일본의 〈백만탑다라니〉보다 30여 년, 중국의 868년 인쇄된 〈금강경〉보다 무려 120여 년이나 앞선 세계 최고의 목판 인쇄물이다.

이 경은 부처님이 가비라성에서 설법할 때 불법을 믿지 않는 한 외도의 바라문이 7일밖에 살지 못할 것이라는 예언가의 말을 듣고 부처님을 찾아와 구원을 요청하는 것으로부터 시작된다. 그러자 부처님께서 ①근본다라니와 ②상륜당相輪樘다라니, ③수조불탑修造佛塔다라니를 설하시면서 이 다라니를 외우고 불탑을 수리하고 작은 불탑을 만들어 그 안에 이 경의 다라니들을 사경하여 봉안하면 수명을 연장하고 무병장수하며 많은 복을 받고 수기를 받으며 성불하게 된다는 내용의 설법을 하신다. 이 설법을 들은 외도 바라문이 부처님의 위신력에 힘입어 비로소 법의 성품을 깨달아 번뇌를 여의고 죄업이 소멸되고 수명이 연장되었다는 줄거리이다. 후반부는 제개장보살이 ④자심인自心印다라니법을 말하고, 이어 집금강주執金剛主의 질문에 부처님이 ⑤대공덕취大功德聚다라니와 ⑥육바라밀六波羅蜜다라니를 설하는 내용으로 구성되어 있다.

이 경의 핵심은 스스로 탑을 조성하거나 남으로 하여금 만들게 하거나 낡은 탑을 중수하거나 작은 탑을 만들고 그 안에 이 경의 5종의 다라니를 사경하여 봉안하고 예배하고 찬탄하며 정성으로 공양하면 모든 죄업과 재앙이 소멸되고 무병장수하며 극락왕생하고 숙명통을 얻게 되며 6바라밀까지 모두 성취되어 부처님의 모든 지혜와 자비와 공덕을 두루 갖추게 된다는 것이다. 그리고 조탑과 중수重修의 작법으로 중요한 6종의 다라니가 설해지고 이들 다라니들을 여법하게 사경하여 봉안하는 일이 강조된다. 이들 6종의 다라니 중 4종(②④⑤⑥)의 다라니는 99벌, 1종(①)의 다라니는 77벌을 정성껏 사경하여 소탑 안에 봉안하고 이들 소탑들을 다시 대탑 안에 봉안하라는 내용은 주목을 요한다. 〈무구정광대다라니경〉에서 강조하는 5종 다라니를 473번이나 사경해야 하는 이러한 매우 많은 양의 다라니 사경을 편리하게 하고자 모색하는 과정에서 목판 인쇄술이 발명된 것으로 여겨지기 때문이다. 그러한 까닭에 〈무구정광대다라니경〉은 목판 인쇄의 효시였을 것으로 추정되고, 목판 인쇄술 개발의 연원이 사경이었다고 할 수 있는 것이다.

無垢淨光大陁羅尼經

無垢淨光大陁羅尼經

唐天竺三藏弥陁山奉 詔譯

如是我聞一時佛在迦毘羅城大精舍中與大比丘衆無量人俱復有無量百千億䣕由他菩薩摩訶薩其名曰除一切盖障菩薩執金剛主菩薩觀世音菩薩文殊師利菩薩普賢菩薩無盡意菩薩弥勒菩薩如是等而為上首復有無量天龍夜叉乾闥婆阿脩羅迦樓羅緊䣕羅摩睺羅伽人非人等無量大衆恭敬圍遶而為說法時彼城中有大婆羅門名刧比羅

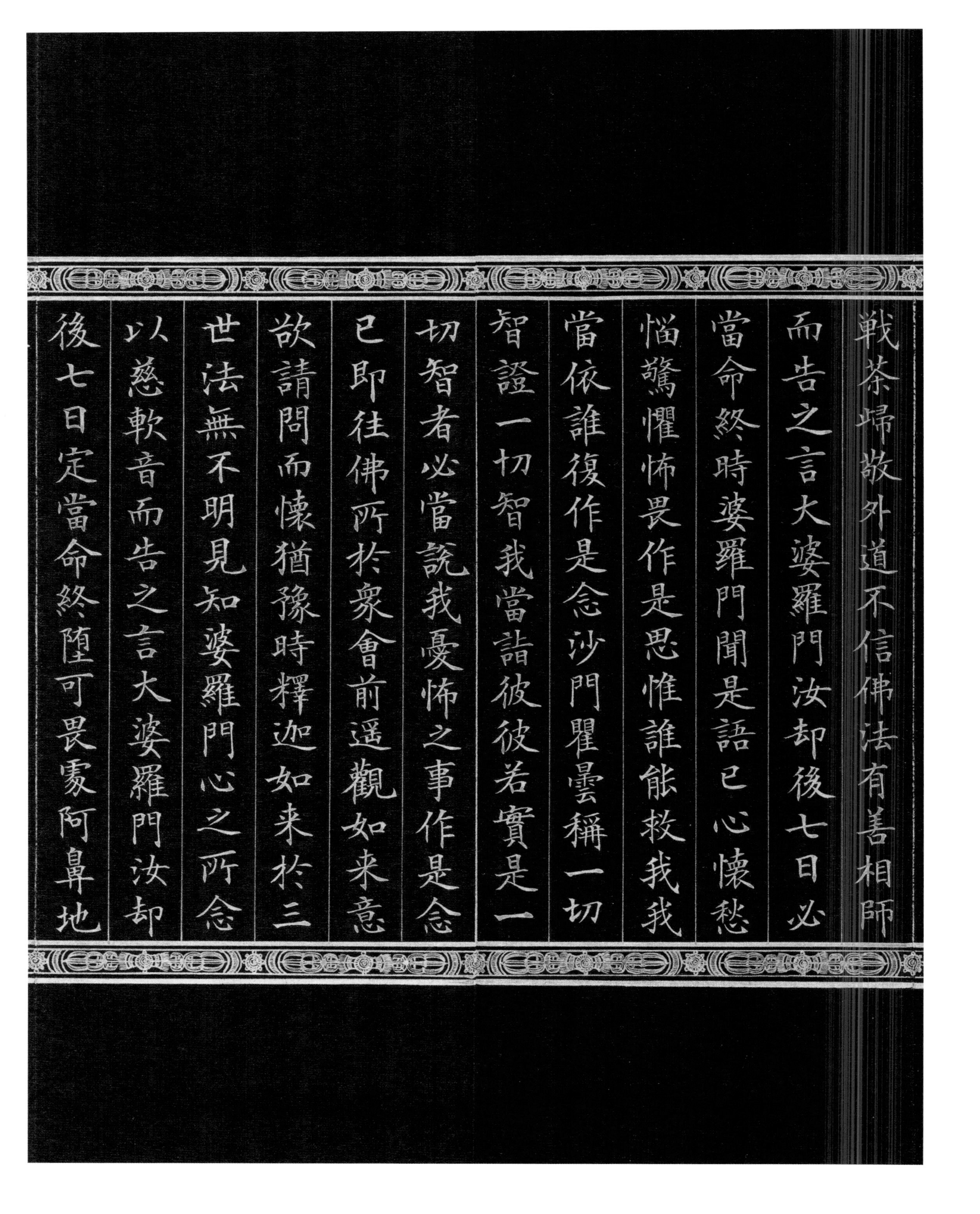
戰茶帰敬外道不信佛法有善相師
而告之言大婆羅門汝却後七日必
當命終時婆羅門聞是語已心懷愁
惱驚懼怖畏作是思惟誰能救我我
當依誰復作是念沙門瞿曇稱一切
智證一切智我當詣彼若實是一
切智者必當說我憂怖之事作是念
已即往佛所於衆會前遥觀如来意
欲請問而懷猶豫時釋迦如来於三
世法無不明見知婆羅門心之所念
以慈軟音而告之言大婆羅門汝却
後七日定當命終墮可畏處阿鼻地

獄從此復入十六地獄出已復受旃
陁羅身命終之後復生猪中恒居臭
泥常食糞穢壽命長時多受衆苦後
得為人貧窮下賤不淨臭穢醜形黑
瘦乹枯癩病人不喜見其咽如針恒
乏飲食為人捶打受大苦惱時婆羅
門聞是語已生大恐怖悲泣憂愁疾
至佛所頂禮雙足而白佛言如来即
是救濟一切諸衆生者我今悔過歸
命世尊唯願救我大地獄苦佛言大
婆羅門此迦毘羅城三岐道處有古
佛塔於中現有如来舍利其塔崩壞

汝應往彼重更修理及造相輪樑寫
陁羅尼以置其中興大供養依法七
遍念誦神呪令汝命根還復增長久
後壽終生極樂界於百千劫受大勝
樂次後復於妙喜世界亦百千劫如
前受樂後復於諸兜率天宮亦百千
劫相續受樂一切生處常憶宿命除
一切障滅一切罪永離一切地獄等
苦常見諸佛恒為如来之所攝護婆
羅門若有比丘比丘尼優婆塞優婆
夷善男女等或有短命或多病者應
修故塔或造小泥塔依法書寫陁羅

尼呪咒索作壇由此福故命將盡者
復更增壽諸病苦者皆得除愈永離
地獄畜生餓鬼耳尚不聞地獄之聲
何况身受時婆羅門聞此語已心懷
歡喜即欲往彼故壞塔所依教修營
時衆會中除盖障菩薩從坐而起合
掌白佛言世尊何者是彼陁羅尼法
而能生長福德善根佛言有大陁羅
尼名最勝無垢清淨光明大壇場法
諸佛以此安慰衆生若有聞此陁羅
尼者滅五逆罪閉地獄門除滅慳貪
嫉妬罪垢命短促者皆得延壽諸吉

祥事無不成辦時除蓋障菩薩復白
佛言世尊願佛說此陁羅尼法令一
切衆生得長壽故淨除一切諸罪障
故為一切衆生作大明故尒時世尊
聞是請已即於頂上放大光明遍照
三千大千世界遍覺一切諸如来已
還帰本處從佛頂入時佛即以美妙
悅意迦陵頻伽和雅之音而說呪曰
南謨颯哆颯怛底弊三藐三佛陁俱
胝喃鉢唎戍陁摩捺娑薄質多鉢唎
底瑟恥哆喃南謨薄伽跋底阿弥多
喻煞寫怛他揭怛寫唵怛他揭多戍

苐阿喻毗輸達你僧歇囉僧歇羅薩
婆怛他揭多毘剁耶跋羅娜鉢剌底
僧歇囉阿喻薩麼囉薩麼囉薩婆怛
他揭多三昧焰菩提菩提斅地毗斅
地菩馱也菩馱也薩婆播波阿伐喇
弩毘戍苐毗揭多末羅珮焰蘘勃馱
敎苐帍嚕霈嚕莎訶
佛言除盖障此是根夲陁羅尼呪若
欲作此法者當於月八日或十三日
或十四日或十五日右遶舍利塔滿
七十七匝誦此陁羅尼亦七十七遍
應當作壇於上護淨書寫此呪滿七

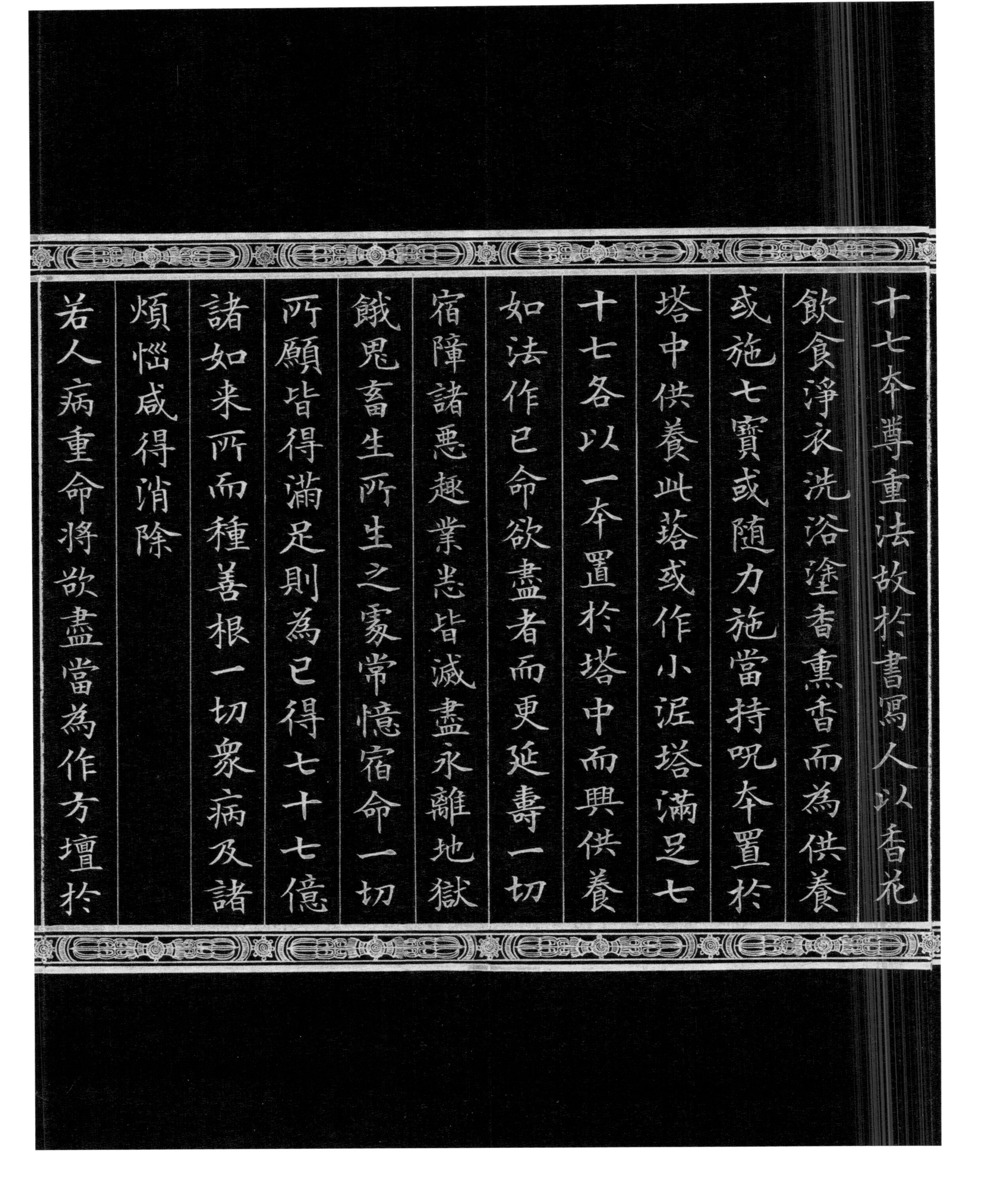
十七本尊重法故於書寫人以香花
飲食淨衣洗浴塗香熏香而為供養
或施七寶或隨力施當持呪本置於
塔中供養此塔或作小泥塔滿足七
十七各以一本置於塔中而興供養
如法作已命欲盡者而更延壽一切
宿障諸惡趣業悉皆滅盡永離地獄
餓鬼畜生所生之處常憶宿命一切
所願皆得滿足則為已得七十七億
諸如来所而種善根一切衆病及諸
煩惱咸得消除
若人病重命將欲盡當為作方壇於

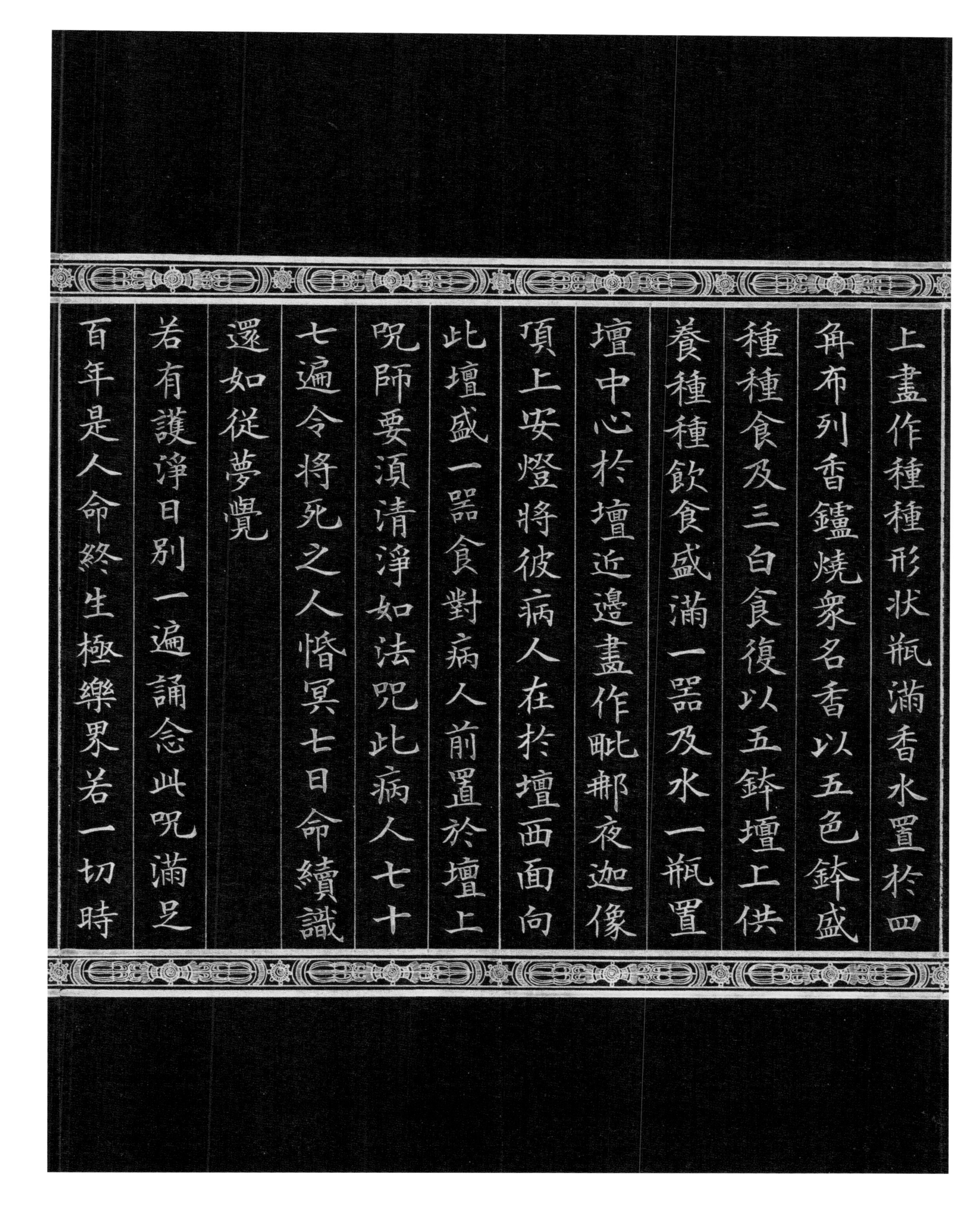
上畫作種種形狀瓶滿香水置於四
角布列香鑪燒衆名香以五色鉢盛
種種食及三白食復以五鉢壇上供
養種種飲食盛滿一器及水一瓶置
壇中心於壇近邊畫作毗那夜迦像
頂上安燈將彼病人在於壇西面向
此壇盛一器食對病人前置於壇上
呪師要須清淨如法呪此病人七十
七遍令將死之人惛冥七日命續識
還如從夢覺
若有護淨日別一遍誦念此呪滿足
百年是人命終生極樂界若一切時

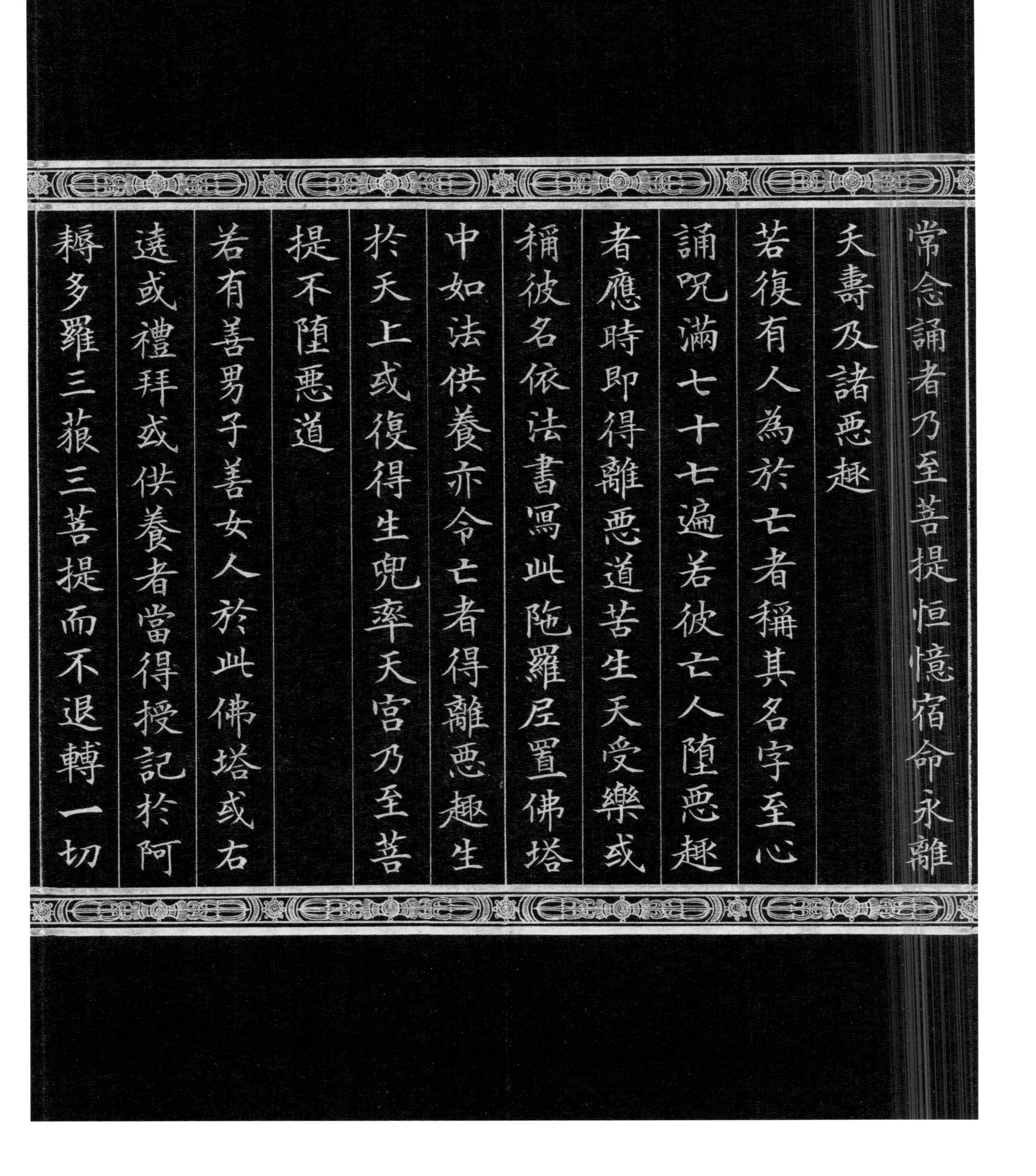
常念誦者乃至菩提恒憶宿命永離
夭壽及諸惡趣
若復有人為於亡者稱其名字至心
誦呪滿七十七遍若彼亡人墮惡趣
者應時即得離惡道苦生天受樂或
稱彼名依法書寫此陁羅尼置佛塔
中如法供養亦令亡者得離惡趣生
於天上或復得生兜率天宮乃至菩
提不墮惡道
若有善男子善女人於此佛塔或右
遶或禮拜或供養者當得授記於阿
耨多羅三藐三菩提而不退轉一切

宿障一切罪業悉皆消滅下至飛鳥
畜生之類至此塔影當得永離畜生
惡趣若有五無間罪或在塔影或觸
彼塔皆得除滅置塔之處無諸邪魅
夜叉羅剎富單那毗舍闍等惡獸惡
龍毒虫毒草亦無魍魎諸惡鬼神奪
精氣者亦無刀兵水火霜雹飢饉橫
死惡夢不祥苦惱之事於彼國土若
有諸惡先相現時其塔即便現於神
變出大光焰令彼諸惡不祥之事无
不殄滅若復於彼有惡心衆生或是
怨讐及怨伴侶并諸劫盜寇賊等類

欲壞此國其塔亦便出大火光即於
其處現諸兵仗惡賊見已自然退散
常有一切諸天善神守護其國於國
四周各百由旬結成大界其中男女
乃至畜生無諸疫癘疾苦鬪諍不作
一切非法之事其餘呪術所不能壞
是名根本陁羅尼法善男子令為汝
說相輪樸中陁羅尼法即說呪曰
唵薩婆怛他揭多毘補羅吏瑟撥末
尼羯諾迦昌喇折哆毘菩瑟哆曳瑟
撥杜嚕杜嚕三曼哆尾嚕吉帝薩囉
薩囉播跛尾輸達尼菩達尼三菩達

𡰱鉢囉伐囉曳瑟撥伐𡅏末𡰱脫揭
鶻嚕止囉末羅毗戍苐吽吽莎訶
善男子應當如法書寫此呪九十九
本於相輪橖四周安置又寫此呪及
功能法於橖中心密覆安處如是作
已則為建立九萬九千相輪橖已亦
為安置九萬九千佛舍利已亦為已
造九萬九千佛舍利塔亦為已造九
萬九千八大寶塔亦為已造九萬九
千菩提塲塔若造一小泥塔於中安
置此陁羅尼者則為已造九萬九千
諸小寶塔若有衆生右遶此塔或禮

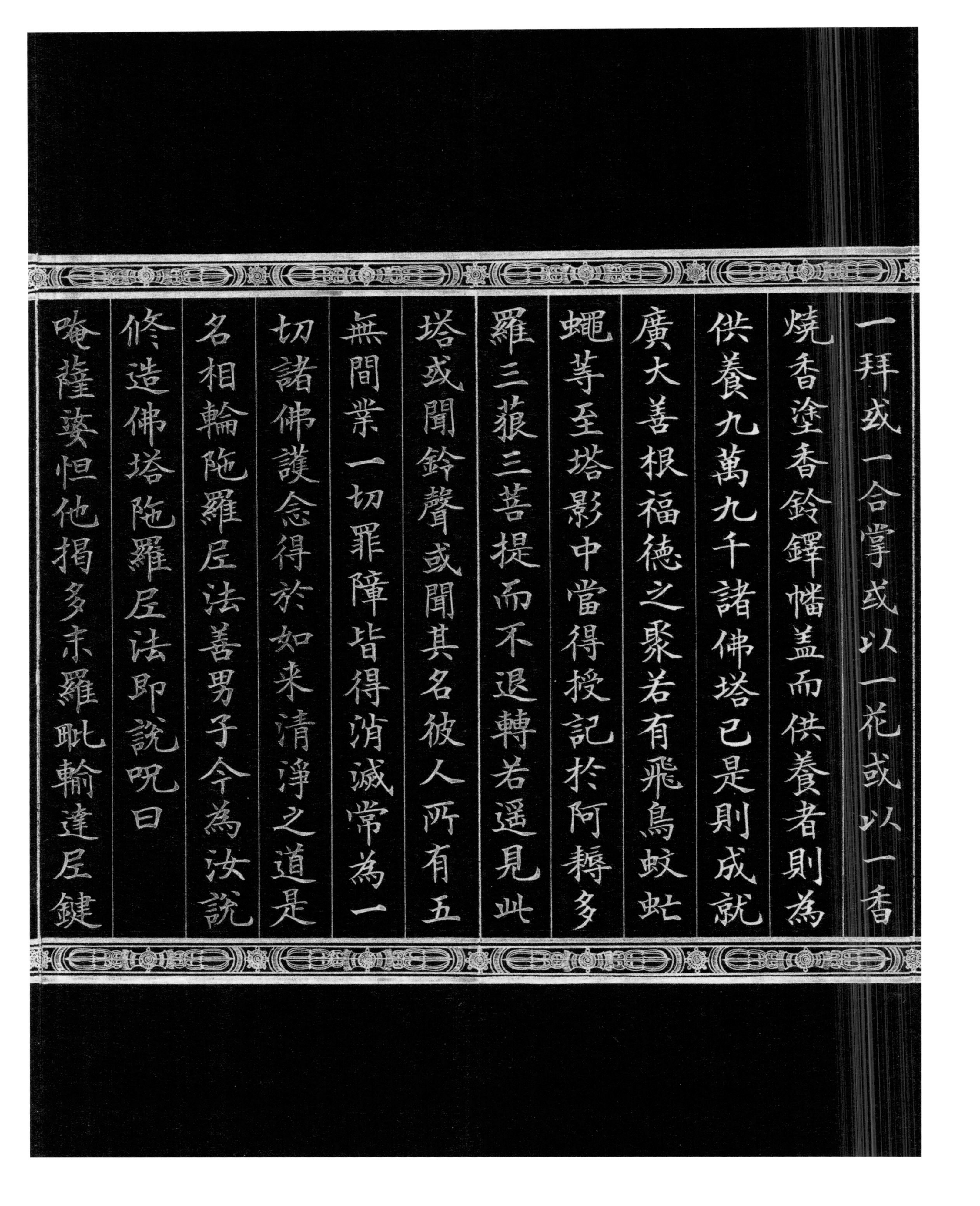
一拜或一合掌或以一花或以一香
燒香塗香鈴鐸幡蓋而供養者則為
供養九萬九千諸佛塔已是則成就
廣大善根福德之聚若有飛鳥蚊虻
蠅蚋至塔影中當得授記於阿耨多
羅三藐三菩提而不退轉若遥見此
塔或聞鈴聲或聞其名彼人所有五
無間業一切罪障皆得消滅常為一
切諸佛護念得於如来清淨之道是
名相輪陁羅尼法善男子今為汝說
修造佛塔陁羅尼法即說呪曰
唵薩婆怛他揭多末羅毗輸達尼鍵

陁鞞梨鉢娜伐囇鉢囉底僧塞迦囉
怛他揭多馱都達麗達囉達囉珊達
囉珊達囉薩婆怛他揭多阿地瑟恥
帝莎訶
若有比丘比丘尼優婆塞優婆夷若
自造塔若教人造若修故塔若作小
塔或以泥作或用甎石應先呪滿一
千八遍然後造作其塔分量或如爪
甲或長一肘乃至由旬以其呪力及
至心故於泥等塔中出妙香氣所謂
牛頭栴檀赤白栴檀龍腦麝香鬱金
香等及天香氣自作教人皆得成就

廣大善根福德之聚命若短促便得
延壽後臨終時得見九十九億百千
那由他佛常為一切諸佛憶念而與
授記生極樂界壽命九十九億百千
那由他歲常得宿命天眼天身天耳
天鼻天舌旃檀香從其身出口中常出
優鉢羅花香得五神通於阿耨多羅
三藐三菩提得不退轉若呪香泥下
至極少如芥子許塗此塔上彼人亦
得如上所說大福德聚
若比丘比丘尼優婆塞優婆夷如法
書寫陁羅尼法以清淨心尊重供養

如佛無異於書寫人亦增上供養如
前所說書呪印已置於塔中及所修
塔内并相輪樑中如法成就是人當
得廣大善根福德之聚佛說此陁羅
尼印法時十方一切諸佛如来同聲
讚言善哉善哉釋迦牟尼如来應正
等覺乃能善說此大陁羅尼印法令
一切衆生皆無空過獲大利益攝大
福聚乃至於阿耨多羅三藐三菩提
得不退轉
尒時衆中天龍八部及諸菩薩執金
剛主四王帝釋梵天王那羅延摩醯

首羅摩尼跋陁羅補鄁跋陁及跋羅
神夜摩神婆樓摩神俱辟羅神婆颯
婆神諸仙衆等聞此法已起猒離心
調伏柔軟生大歡喜以大音聲𢘆相
謂言希有希有諸佛如来希有希有
真正妙法希有希有此陁羅尼印法
如来所説甚難值遇是時劫比羅戰
茶大婆羅門聞此大功德殊勝利益
大陁羅尼法印即得明達法性遠塵
離垢斷諸煩惱滅諸罪障壽命延長
生大歡喜踊躍無量令一切衆生亦
皆當得心意清淨

尒時除盖障菩薩摩訶薩持一寶臺
種種衆寶間錯荘嚴以佛莊嚴而莊
嚴之愛樂法故供養如来右遶三匝
頂禮佛足而白佛言世尊此大陁羅
尼檀場法印甚難值遇世尊說此一
切衆生妙法庫藏鎮閻浮提令諸衆
生種大善根施其壽命消滅煩惱我
今亦當為令衆生種善根故供養一
切諸如来故今於佛前說自心印陁
羅尼法即說呪曰
南謨薄伽伐帝納婆納伐底喃三藐
三佛陁倶胝那庾多設多索訶薩羅

喃南謨薩婆你伐囉拏毗瑟釰鼻尼
菩提薩埵也唵覩嚕覩嚕薩婆阿伐
囉拏毘戍達尼薩婆怛他揭多摩庚
播喇尼毘布麗眤末麗薩婆悉陁南
摩塞訖栗帝跋羅跋囉薩婆薩埵縛
盧羯尼吽薩婆尼伐囉拏毘瑟釰毘
泥薩婆播波毘燒達尼莎訶
世尊此陁羅尼是九十九億諸佛所
說若有至心暫念誦者一切罪業悉
皆消滅若有依法書寫此呪滿九十
九本置於塔中或塔四周有人禮拜
及以讚歎或以香花塗香燈燭供養

此塔彼善男女於現生中滅一切罪
除一切障滿一切願則為供養九十
九億百千那由他恒河沙等諸如来
已亦為供養九十九億百千𨚫由他
恒河沙等舎利塔已是則成就廣大
善根福德之聚若有比丘於月八日
十三日十四日十五日洗浴護淨着
鮮潔衣於一日一夜而不飲食或時
唯食三種白食右繞佛塔誦此陁羅
尼滿一百八遍百千劫罪及五無間
皆得除滅我除盖障即為現身令其
所願皆悉滿足得見一切諸佛如来

若有誦滿二百八遍得諸禪定若有
誦滿三百八遍得淨一切障三昧若
有誦滿四百八遍得四大天王常来
親近現身衛護加其身心增大威德
若有誦滿五百八遍攝得無量阿僧
祇不可量諸大善根若有誦滿六百
八遍便得此呪根本法成就為持呪
天仙若有誦滿七百八遍得大威德
具足光明若有誦滿八百八遍得心
清淨若有誦滿九百八遍得五根清
淨若有誦滿一千八遍當得須陁洹
果若誦滿二千遍當得斯陁含果若

誦滿三千遍當得阿那舍果若誦滿
四千遍當得阿羅漢果若誦滿五千
遍當得辟支佛果若誦滿六千遍當
得普賢地若誦滿七千遍當得初地
若誦八千遍當得第五地若滿九千
遍當得普門陁羅尼若滿十千遍當
得不動地若復滿十一千遍當得如
来地成大人相大師子吼
若復有人欲於現生成就功德大利
益者應修故塔誦呪右遶滿百八遍
心中所願無不成滿時釋迦牟尼佛
讚除盖障言善哉善哉善男子汝能

如是隨順如来所演呪法而助宣說
時執金剛大夜叉主白佛言世尊此
大呪王陁羅尼法同如来藏亦如佛
塔世尊以此勝法鎮閻浮提令一切
衆生皆得觧脫能於後時作大佛事
佛言執金剛主此大呪法若在世時
同如来在以其能作佛所作事少有
所作成大福聚況多功用所獲善根
假使百千億那由他恒河沙諸佛說
不能盡佛眼所見不可為喻不可量
不可說執金剛主言以何因緣少用
功力成大福聚佛言諦聽當為汝說

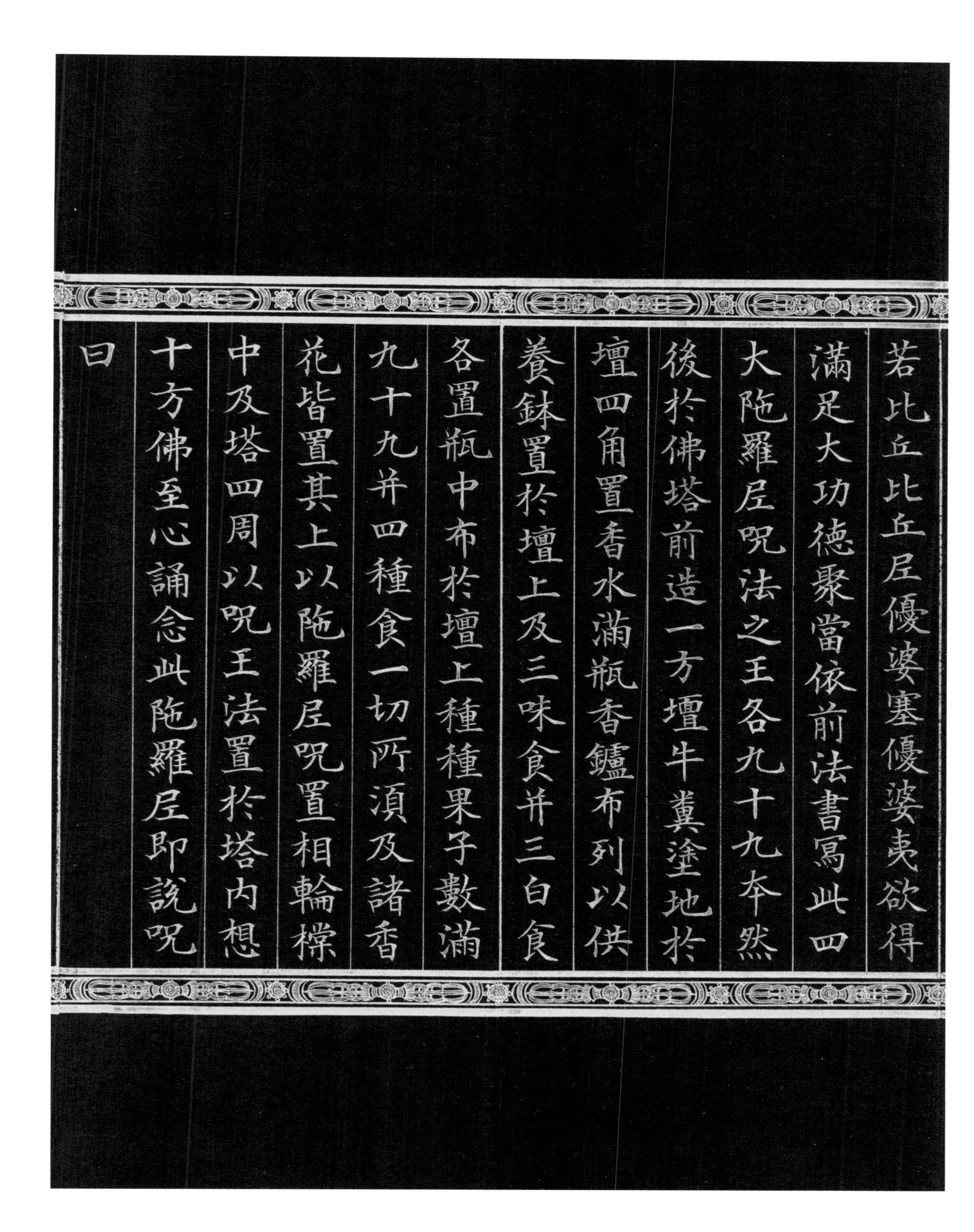
若比丘比丘尼優婆塞優婆夷欲得
滿足大功德聚當依前法書寫此四
大陁羅尼呪法之王各九十九本然
後於佛塔前造一方壇牛糞塗地於
壇四角置香水滿瓶香鑪布列以供
養鉢置於壇上及三味食并三白食
各置瓶中布於壇上種種果子數滿
九十九并四種食一切所須及諸香
花皆置其上以陁羅尼呪置相輪橖
中及塔四周以呪王法置於塔内想
十方佛至心誦念此陁羅尼即說呪
曰

南謨納婆納伐底喃怛他揭多俱胝
喃弥伽捺地婆盧迦三摩喃唵毘補
麗毗末麗鉢囉伐麗市郍伐麗薩囉
薩囉薩婆怛他揭多馱都揭鞞薩底
地瑟耻帝薩訶阿耶咄都飯尼莎訶
薩婆提婆郍婆阿耶弭勃陁阿地瑟
侘郍三摩也莎訶
應燒香相續誦此陁羅尼呪二十八
遍即時八大菩薩八大夜叉王執金
剛夜叉主四王帝釋梵天王郍羅延
摩醯首羅各以自手共持彼塔及相
輪橖亦有九十九億百千那由他恒

河沙諸佛皆至此處加持彼塔安佛
舍利由加持故令塔猶如大摩尼寶
是人由此則為已造九十九億百千
那由他諸大寶塔由此當得廣大善
根壽命延長身淨無垢衆病悉除災
障殄滅若見此塔者滅五逆罪聞塔
鈴聲消諸一切惡業捨身當生極樂
世界若有傳聞此塔名者當得阿鞞
跋致下至鳥獸得聞其聲離畜生趣
永不復受當得廣大福德之聚
若復有人欲得滿足六波羅蜜者當
作方壇先以牛糞塗後以淨土而覆

其上灑以香湯滑淨塗拭五供養鉢
置於壇上寫前四種陁羅尼呪各九
十九本手作小塔滿九十九於此塔
中各置一本其相輪呪還置小塔相
輪襟中行列壇上以諸香花供養旋
遶七遍誦此陁羅尼曰
南謨納婆納伐底喃怛他揭多弥伽
捺地婆盧迦俱胝鄉庚多設多索訶
薩囉喃唵普怖哩折哩尼折哩慕哩
忽哩社邏跋哩莎訶
若依此法而受持者六波羅蜜悉皆
成滿是則同造九十九億百千那由

他恒河沙等七寳塔已是則供養九
十九億百千那由他如来應正等覚
皆以諸天大供養雲種種庄嚴諸天
宮殿諸天供具而為供養彼諸如来
皆悉憶念此善男女令其當得廣大
善根福徳之聚若有於此呪王如法
書寫受持讀誦供養恭敬佩於身上
以呪威力擁護是人令諸怨家及怨
朋黨一切夜叉羅刹富單那等皆於
此人不能為悪各懐恐怖逃散諸方
若有得共彼人語者亦得除滅五無
間業若有得聞此人語聲或在其影

或觸其身令彼一切宿障重罪皆得
消除所有諸毒不能為害火不能燒
水不能漂猒禱邪魅不得其便雷電
霹靂無能驚嬈常為諸佛而共加持
一切如来安慰護念諸天善神增其
勢力非餘呪術之所能制是故應當
於一切處求此呪法寫已置於當路
塔中令往来衆生下至鳥獸蛾蠅蟻
子皆得永離一切地獄及諸悪道生
諸天宮常憶宿命至不退轉
尒時佛告除盖障菩薩摩訶薩執金
剛主四王帝釋梵天王等及其眷屬

那羅延天摩醯首羅等言善男子我
以此呪法之王付囑汝等應當守護
住持擁護以肩荷擔寶篋盛之於後
時中莫令斷絶應善執持應善覆護
授與後世一切衆生令得見聞離五
無間

是時除蓋障菩薩執金剛主四王帝
釋梵天王那羅延天摩醯首羅及天
龍八部等咸禮佛足同聲白言我等
已蒙世尊加護授此呪法及造塔法
咸皆守衛住持讀誦書寫供養為護
一切諸衆生故於後時令彼衆生

悉得聞知不墮地獄及諸惡趣我等
為報如来大恩咸共守護令廣流通
尊重恭敬如佛無異不令此法而有
壞滅佛言善哉善哉汝等乃能堅固
守護住持如是陁羅尼法時諸大衆
聞佛說已歡喜奉行

無垢淨光大陁羅尼經

特為
大韓民國平和統一國運昌盛
干戈永滅雨順風調幸福成就

佛日恒明法輪常轉無辺法界
一切有情俱断苦輪発菩提心
咸悟無生證佛智

願以此功德普及於一切
我等與衆生皆共成佛道
佛紀二五四九年六月十五日
龍潭金景浩頓首恭書

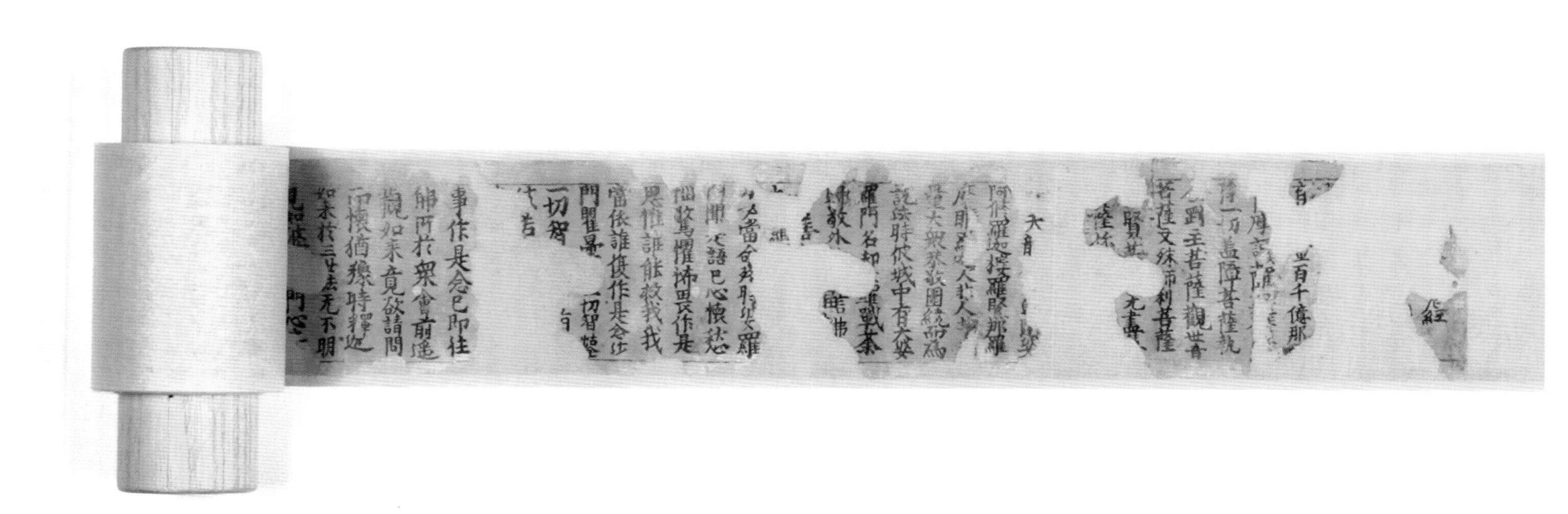

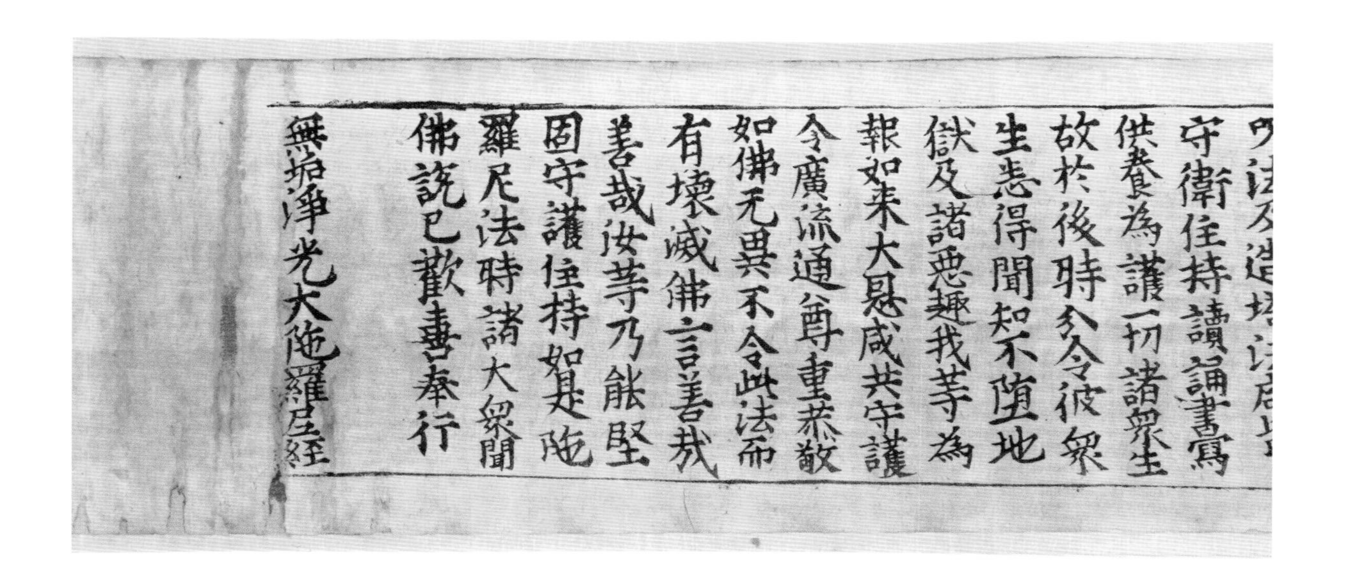

사진 | 국보 제126호 〈무구정광대다라니경〉 불교중앙박물관 제공

無垢淨光大陁羅尼經

無垢淨光大陁羅尼經

無垢淨光大陁羅尼經

唐天竺三藏弥陁山奉 詔譯

如是我聞一時佛在迦毘羅城大精
舍中與大比丘衆無量人俱復有無
量百千億那由他菩薩摩訶薩其名
曰除一切蓋障菩薩執金剛主菩薩
觀世音菩薩文殊師利菩薩普賢菩
薩無盡意菩薩弥勒菩薩如是等而
為上首復有無量天龍夜叉乾闥婆
阿脩羅迦樓羅緊那羅摩睺羅伽人
非人等無量大衆恭敬圍遶而為說
法時彼城中有大婆羅門名劫比羅

戰荼婦敬外道不信佛法有善相師
而告之言大婆羅門汝却後七日必
當命終時婆羅門聞是語已心懷愁
惱驚懼怖畏作是思惟誰能救我我
當依誰復作是念沙門瞿曇稱一切
智證一切智我當詣彼彼若實是一
切智者必當說我憂怖之事作是念
已即往佛所於衆會前遙觀如来意
欲請問而懷猶豫時釋迦如来於三
世法無不明見知婆羅門心之所念
以慈軟音而告之言大婆羅門汝却
後七日定當命終墮可畏處阿鼻地

獄從此復入十六地獄出已復受旃
陁羅身命終之後復生猪中恒居臭
泥常食糞穢壽命長時多受衆苦後
得為人貧窮下賤不淨臭穢醜形黑
瘦乾枯癩病人不喜見其咽如針恒
乏飲食為人捶打受大苦惱時婆羅
門聞是語已生大恐怖悲泣憂愁疾
至佛所頂禮雙足而白佛言如来即
是救濟一切諸衆生者我今悔過歸
命世尊唯願救我大地獄苦佛言大
婆羅門此迦毘羅城三岐道處有古
佛塔於中現有如来舍利其塔崩壞

汝應往彼重更修理及造相輪樑寫
陁羅尼以置其中興大供養依法七
遍念誦神呪令汝命根還復增長久
後壽終生極樂界於百千劫受大勝
樂次後復於妙喜世界亦百千劫如
前受樂後復於諸兜率天宮亦百千
劫相續受樂一切生處常憶宿命除
一切障滅一切罪永離一切地獄等
苦常見諸佛恒為如來之所攝護婆
羅門若有比丘比丘尼優婆塞優婆
夷善男女等或有短命或多病者應
修故塔或造小泥塔依法書寫陁羅

尼呪咒索作壇由此福故命將盡者
復更增壽諸病苦者皆得除愈永離
地獄畜生餓鬼耳尚不聞地獄之聲
何況身受時婆羅門聞此語已心懷
歡喜即欲往彼故壞塔所依教修營
時衆會中除盖障菩薩從坐而起合
掌白佛言世尊何者是彼陁羅尼法
而能生長福德善根佛言有大陁羅
尼名最勝無垢清淨光明大壇場法
諸佛以此安慰衆生若有聞此陁羅
尼者滅五逆罪閇地獄門除滅慳貪
嫉妬罪垢命短促者皆得延壽諸吉

祥事無不成辦時除蓋障菩薩復白
佛言世尊願佛說此陁羅尼法令一
切衆生得長壽故淨除一切諸罪障
故為一切衆生作大明故尒時世尊
聞是請已即於頂上放大光明遍照
三千大千世界遍覺一切諸如来已
還帰本處從佛頂入時佛即以美妙
悅意迦陵頻伽和雅之音而說呪曰
南謨颯哆颯怛底弊三藐三佛陁倶
胝喃鉢唎戍陁摩捺娑薄質多鉢唎
底瑟恥哆喃南謨薄伽跋底阿弥多
喻煞寫怛他揭怛寫唵怛他揭多戍

苐阿喻毗輸達你僧歌囉僧歌羅薩
婆怛他揭多罡剃耶跋麗娜鉢剌庄
僧歌囉阿喻薩麼囉薩麼囉薩婆怛
他揭多三昧焰菩提菩提斆地毗斆
地菩馱也菩馱也薩婆播波阿伐喇
拏罡戍苐毗揭多末羅珮焰蕻勃馱
敎苐儞嚕儞嚕莎訶
佛言除蓋障此是根本陁羅尼呪若
欲作此法者當於月八日或十三日
或十四日或十五日右遶舍利塔滿
七十七匝誦此陁羅尼亦七十七遍
應當作壇於上護淨書寫此呪滿七

常念誦者乃至菩提恒憶宿命永離
夭壽及諸惡趣

若復有人為於亡者稱其名字至心
誦呪滿七十七遍若彼亡人墮惡趣
者應時即得離惡道苦生天受樂或
稱彼名依法書寫此陁羅尼置佛塔
中如法供養亦令亡者得離惡趣生
於天上或復得生兜率天宮乃至菩
提不墮惡道

若有善男子善女人於此佛塔或右
遶或禮拜或供養者當得授記於阿
耨多羅三藐三菩提而不退轉一切

宿障一切罪業悉皆消滅下至飛鳥
畜生之類至此塔影當得永離畜生
惡趣若有五無間罪或在塔影或觸
彼塔皆得除滅置塔之處無諸邪魅
夜叉羅刹冨單那毗舍闍等惡獸惡
龍毒虫毒草亦無魍魎諸惡鬼神奪
精氣者亦無刀兵水火霜雹飢饉横
死惡夢不祥苦惱之事於彼國土若
有諸惡先相現時其塔即便現於神
變出大光焰令彼諸惡不祥之事无
不殄滅若復於彼有惡心衆生或是
怨讐及怨伴侶并諸劫盜寇賊等類

欲壞此國其塔亦便出大火光即於
其處現諸兵仗惡賊見已自然退散
常有一切諸天善神守護其國於國
四周各百由旬結成大界其中男女
乃至畜生無諸疫癘疾苦鬪諍不作
一切非法之事其餘呪術所不能壞
是名根本陁羅尼法善男子令為汝
說相輪橖中陁羅尼法即說呪曰
唵薩婆怛他揭多毘補羅曳瑟撥末
尼羯諾迦昌喇折哆毘菩瑟哆曳瑟
撥杜嚕杜嚕三曇哆尾嚕吉帝薩囉
薩囉播跛尾輸達尼菩達尼三菩達

尼鉢囉伐囉曳瑟撥伐㘑末尼脫擔
鶻嚕止囉末羅毗戍苐吽吽莎訶
善男子應當如法書寫此呪九十九
本於相輪橖四周安置又寫此呪及
功能法於橖中心密覆安處如是作
已則爲建立九萬九千相輪橖已亦
爲安置九萬九千佛舍利已亦爲已
造九萬九千佛舍利塔亦爲已造九
萬九千八大寶塔亦爲已造九萬九
千菩提場塔若造一小泥塔於中安
置此陁羅已者則爲已造九萬九千
諸小寶塔若有衆生右遶此塔或禮

一拜或一合掌或以一花或以一香
焼香塗香鈴鐸幡盖而供養者則為
供養九萬九千諸佛塔已是則成就
廣大善根福德之聚若有飛鳥蚊虻
蠅等至塔影中當得授記於阿耨多
羅三藐三菩提而不退轉若遥見此
塔或聞鈴聲或聞其名彼人所有五
無間業一切罪障皆得消滅常為一
切諸佛護念得於如来清淨之道是
名相輪陁羅尼法善男子今為汝說
修造佛塔陁羅尼法即說呪曰
唵薩婆怛他揭多末羅毗輸達尼鍵

陁鞞梨鉢娜伐囉鉢囉底僧塞迦囉
怛他揭多䭾都達麗達囉達囉珊達
囉珊達囉薩婆怛他揭多阿地瑟恥
帝莎訶
若有比丘比丘尼優婆塞優婆夷若
自造塔若教人造若修故塔若作小
塔或以泥作或用甎石應先呪滿一
千八遍然後造作其塔分量或如爪
甲或長一肘乃至由旬以其呪力及
至心故於泥等塔中出妙香氣所謂
牛頭栴檀赤白栴檀龍腦麝香欝金
香等及天香氣自作教人皆得成就

廣大善根福德之聚命若短促便得
延壽後臨終時得見九十九億百千
那由他佛常為一切諸佛憶念而與
授記生極樂界壽命九十九億百千
那由他歲常得宿命天眼天身天耳
天鼻天栴檀香從其身出口中常出
優鉢羅花香得五神通於阿耨多羅
三藐三菩提得不退轉若呪香泥下
至極少如芥子許塗此塔上彼人亦
得如上所說大福德聚
若比丘比丘尼優婆塞優婆夷如法
書寫陀羅尼法以清淨心尊重供養

如佛無異於書寫人亦增上供養如
前所說書呪印已置於塔中及所修
塔內并相輪橖中如法成就是人當
得廣大善根福德之聚佛說此陁羅
尼印法時十方一切諸佛如来同聲
讚言善哉善哉釋迦牟尼如来應正
等覺乃能善說此大陁羅尼印法令
一切衆生皆無空過獲大利益攝大
福聚乃至於阿耨多羅三藐三菩提
得不退轉
尒時衆中天龍八部及諸菩薩執金
剛主四王帝釋梵天王那羅延摩醯

首羅摩尼跋陁羅補郍跋陁及跋羅
神夜摩神婆樓摩神俱薜羅神婆颯
婆神諸仙衆等聞此法已起猒離心
調伏柔軟生大歡喜以大音聲丐相
謂言希有希有諸佛如来希有希有
真正妙法希有希有此陁羅尼印法
如来所説甚難值遇是時劫比羅戰
荼大婆羅門聞此大功德殊勝利益
大陁羅尼法印即得明達法性遠塵
離垢断諸煩惱滅諸罪障壽命延長
生大歡喜踊躍無量令一切衆生亦
皆當得心意清淨

尒時除蓋障菩薩摩訶薩持一寶臺
種種衆寶間錯莊嚴以佛莊嚴而莊
嚴之愛樂法故供養如来右遶三匝
頂禮佛足而白佛言世尊此大陁羅
尼檀場法印甚難值遇世尊說此一
切衆生妙法庫藏鎮閻浮提令諸衆
生種大善根施其壽命消滅煩惱我
今亦當為令衆生種善根故供養一
切諸如来故今於佛前說自心印陁
羅尼法即說呪曰
南謨薄伽伐帝納婆納伐底喃三藐
三佛陁俱胝郁庚多設多索訶薩羅

喃南謨薩婆你伐囉拏毗瑟劒鼻尼
菩提薩埵也唵覩嚕覩嚕薩婆阿伐
囉拏毘戍達尼薩婆怛他揭多摩庚
播喇尼毘布麗眤末麗薩婆悉陁南
摩塞訖栗帝跋羅跋囉薩婆薩埵縛
盧羯尼吽薩婆尼伐囉拏毘瑟劒毘
涅薩婆播波毘燒達尼莎訶

世尊此陁羅尼是九十九億諸佛所
說若有至心暫念誦者一切罪業悉
皆消滅若有依法書寫此呪滿九十
九本置於塔中或塔四周有人禮拜
及以讚歎或以香花塗香燈燭供養

此塔彼善男女於現生中滅一切罪
除一切障滿一切願則為供養九十
九億百千那由他恒河沙等諸如来
已亦為供養九十九億百千那由他
恒河沙等舍利塔已是則成就廣大
善根福德之聚若有比丘於月八日
十三日十四日十五日洗浴護淨着
鮮潔衣於一日一夜而不飲食或時
唯食三種白食右繞佛塔誦此陁羅
尼滿一百八遍百千劫罪及五無間
皆得除滅我除蓋障即為現身令其
所願皆悉滿足得見一切諸佛如来

若有誦滿二百八遍得諸禪定若有
誦滿三百八遍得淨一切障三昧若
有誦滿四百八遍得四大天王常来
親近現身衛護加其身心增大威德
若有誦滿五百八遍攝得無量阿僧
祇不可量諸大善根若有誦滿六百
八遍便得此呪根本法成就為持呪
天仙若有誦滿七百八遍得大威德
具足光明若有誦滿八百八遍得心
清淨若有誦滿九百八遍得五根清
淨若有誦滿一千八遍當得須陁洹
果若誦滿二千遍當得斯陁含果若

誦滿三千遍當得阿那含果若誦滿
四千遍當得阿羅漢果若誦滿五千
遍當得辟支佛果若誦滿六千遍當
得普賢地若誦滿七千遍當得初地
若滿八千遍當得第五地若滿九千
遍當得普門陁羅尼若滿十千遍當
得不動地若復滿十一千遍當得如
来地成大人相大師子吼
若復有人欲於現生成就功德大利
益者應脩故塔誦呪右遶滿百八遍
心中所願無不成滿時釋迦牟尼佛
讚除盖障言善哉善哉善男子汝能

如是隨順如来所演呪法而助宣說
時執金剛大夜叉主白佛言世尊此
大呪王陁羅尼法同如来藏亦如佛
塔世尊以此勝法鎮閻浮提令一切
衆生皆得解脫能於後時作大佛事
佛言執金剛主此大呪法若在世時
同如来在以其能作佛所作事少有
所作成大福聚況多功用所獲善根
假使百千億那由他恒河沙諸佛說
不能盡佛眼所見不可為喻不可量
不可說執金剛主言以何因緣少用
功力成大福聚佛言諦聽當為汝說

若比丘比丘尼優婆塞優婆夷欲得
滿足大功德聚當依前法書寫此四
大陁羅尼呪法之王各九十九本然
後於佛塔前造一方壇牛糞塗地於
壇四角置香水滿瓶香鑪布列以供
養鉢置於壇上及三味食并三白食
各置瓶中布於壇上種種果子數滿
九十九并四種食一切所須及諸香
花皆置其上以陁羅尼呪置相輪橖
中及塔四周以呪王法置於塔内想
十方佛至心誦念此陁羅尼即說呪
曰

南謨納婆納伐庢喃怛他揭多俱胵
喃弥伽捺地婆盧迦三摩喃唵毘補
麗毗末麗鉢囉伐麗市郍伐麗薩囉
薩囉薩婆怛他揭多馱都揭鞞薩庢
地瑟恥帝薩訶阿耶咄都飯戹莎訶
薩婆提婆郍婆阿耶弭勃陁阿地瑟
侘郍三摩也莎訶
應燒香相續誦此陁羅戹呪二十八
遍即時八大菩薩八大夜叉王執金
剛夜义主四王帝釋梵天王郍羅延
摩醯首羅各以自手共持彼塔及相
輪橖亦有九十九億百千那由他恒

河沙諸佛皆至此處加持彼塔安佛
舍利由加持故令塔猶如大摩尼寶
是人由此則為已造九十九億百千
那由他諸大寶塔由此當得廣大善
根壽命延長身淨無垢衆病悉除灾
障殄滅若見此塔者滅五逆罪聞塔
鈴聲消諸一切惡業捨身當生極樂
世界若有傳聞此塔名者當得阿鞞
跋致下至鳥獸得聞其聲離畜生趣
永不復受當得廣大福德之聚
若復有人欲得滿足六波羅蜜者當
作方壇先以牛糞塗後以淨土而覆

其上灑以香湯滑浄塗拭五供養鉢
置於壇上寫前四種陁羅尼呪各九
十九本手作小塔滿九十九於此塔
中各置一本其相輪呪還置小塔相
輪橖中行列壇上以諸香花供養旋
遶七遍誦此陁羅尼曰
南謨納婆納伐底喃怛他揭多弥伽
捺地婆盧迦俱胝那庾多設多索訶
薩囉喃唵普怖哩折哩尼折哩慕哩
忽哩社邏跋哩莎訶
若依此法而受持者六波羅蜜悉皆
成滿是則同造九十九億百千那由

他恒河沙等七寶塔已是則供養九
十九億百千那由他如来應正等覚
皆以諸天大供養雲種種莊嚴諸天
宮殿諸天供具而為供養彼諸如来
皆悉憶念此善男女令其當得廣大
善根福徳之聚若有於此呪王如法
書冩受持讀誦供養恭敬佩於身上
以呪威力擁護是人令諸怨家及怨
朋黨一切夜叉羅刹富單那等皆於
此人不能為悪各懐恐怖逃散諸方
若有得共彼人語者亦得除滅五無
間業若有得聞此人語聲或在其影

或觸其身令彼一切宿障重罪皆得
消除所有諸毒不能為害火不能燒
水不能漂厭禱邪魅不得其便雷電
霹靂無能驚嬈常為諸佛而共加持
一切如来安慰護念諸天善神增其
勢力非餘呪術之所能制是故應當
於一切處求此呪法寫已置於當路
塔中令往来衆生下至烏獸蛾蠅蟻
子皆得永離一切地獄及諸惡道生
諸天宮常憶宿命至不退轉
尒時佛告除蓋障菩薩摩訶薩執金
剛主四王帝釋梵天王等及其眷屬

那羅延天摩醯首羅等言善男子我
以此呪法之王付囑汝等應當守護
住持擁護以肩荷擔寶篋盛之於後
時中莫令斷絕應善執持應善覆護
授與後世一切衆生令得見聞離五
無間

是時除蓋障菩薩執金剛主四王帝
釋梵天王那羅延天摩醯首羅及天
龍八部等咸禮佛足同聲白言我等
已蒙世尊加護授此呪法及造塔法
咸皆守衛住持讀誦書寫供養為護
一切諸衆生故於後時分令彼衆生

悉得聞知不墮地獄及諸惡趣我等
為報如来大恩咸共守護令廣流通
尊重恭敬如佛無異不令此法而有
壞滅佛言善哉善哉汝等乃能堅固
守護住持如是陁羅尼法時諸大衆
聞佛說已歡喜奉行

無垢淨光大陁羅尼經

特為
大韓民國平和統一國運昌盛
干戈永滅雨順風調幸福成就

佛日恒明法輪常轉無辺法界
一切有情俱断苦輪発菩提心
咸悟無生證佛智

願以此功德普及於一切
我等與衆生皆共成佛道
佛紀二五四九年六月十五日
龍潭 金景浩 頓首恭書

신심이 있어 수지·독송하고 이를 사경하거나 남으로 하여금 사경을 하도록 하며, 경전에 꽃과 향과 말향 뿌리고 須曼·瞻蔔과 阿提目多伽의 기름을 늘 태워서 이리 공양하는 자는 무량공덕 얻으리니 하늘이 가없는 것과 같이 그 복 또한 그와 같으리라.

〈법화경 분별공덕품〉

수보리여, 어떤 선남자·선녀인이 아침에 항하수의 모래알처럼 많은 몸으로 보시하고, 낮에도 역시 항하수의 모래알처럼 많은 몸으로 보시하고, 저녁에도 역시 항하수의 모래알처럼 많은 몸을 보시한다고 하자. 이같이 한량없는 백천만억 겁 동안 보시할지라도, 어떤 사람 하나가 이 경전을 보고 믿는 마음으로 거스르지 않으면, 이 복덕이 앞서 말한 사람의 복덕보다 나을 것이니라. 하물며 이 경을 사경하고, 수지독송하고, 다른 사람을 위해 일러주는 사람에게 있어서이랴.

〈금강경〉

스님의 크나큰 원력에 힘입어 이번에『화장華藏』이라는 이름으로 5권의 사경 교본을 발행하게 되었습니다. 더군다나 〈화엄경 보현행원품〉·〈화엄경약찬게〉·〈화엄경 정행품〉, 이와는 성격이 다른 〈관세음보살42수진언〉·〈무구정광대다라니경〉을 함께 묶음을 흔쾌히 허락하셨습니다. 이는 원융무애의 화엄사상의 반영과 실천으로 여겨집니다.

〈관세음보살42수진언〉은 사성을 완료했을 때부터 많은 사부대중으로부터 사경 교본으로의 발행을 권유받아 왔습니다. 근기가 서로 다른 중생들이 자신의 근기에 가장 적합한 현실적인 진언을 선택하여 사경 기도를 할 수 있도록 구성되어 있기 때문입니다. 또한 전통사경의 선긋기부터 제불보살님의 수인·지물·한자·한글서예를 함께 학습할 수 있도록 구성되어 있으니 사경 초학자들에게는 가장 효과적인 체본의 역할을 할 수 있기 때문이기도 합니다. 그렇지만 단행본으로의 발행이 실행에 옮겨지지 않아 안타까움이 컸습니다. 약 20년이란 세월이 흐른 지금에 이르러서야 시절인연이 닿아 단행본으로 출간할 수 있게 됨에 무한 감사드립니다. 더하여 세계 문명사·문화사뿐만 아니라 우리나라 사경의 역사에서 매우 중요한 위치를 점하고 있는 통일신라시대의 조탑소의경전인 〈무구정광대다라니경〉까지 함께 한 세트로 발행하게 되었으니, 이 시대 사경사업의 큰 족적이 되리라 확신합니다.

이 사경 교재 발간을 기획하고 많은 고견을 주신 교무국장 덕홍 스님, 화엄선재불교사회연구소 허 권 소장님과 화엄사성보박물관 강선정 학예연구사님을 비롯한 모든 관계자님들께 깊이 감사드립니다.

아무쪼록 이 5권의 사경 교재가 사경과 인연을 맺어 무량공덕을 쌓으시는 모든 사경수행자님들께 조금이라도 도움이 되고, 시방제불보살님의 무한 가피 속에 사경 정진할 수 있게 되길 일심으로 기원합니다.

2020년 2월　화엄사 전통사경원장　다길 김경호 두손모음

『華藏』을 엮으며

세존이시여, 제가 이 경전을 받아 지니고 읽고 외우며 다른 사람들에게도 밝혀 설하겠사오며 제가 사경하고 다른 사람들에게도 사경하기를 권하며 공경하고 존중하면서 갖가지 향기로운 꽃과 도향·가루향·말향·소향이며 꽃다발·영락·번기·일산·풍악 등으로 공양하겠습니다. 그리고 5색의 비단 주머니에 싸서 정결한 곳에 마련된 높은 자리에 모시고 사천왕과 그 권속 및 한량없는 백천의 천신들과 함께 사경이 봉안된 곳에 나아가 공양하고 수호하겠나이다.

〈약사유리광칠불공덕본원경〉

또 어떤 사람이 깊은 신심으로 이 열 가지 원을 받아 지녀 읽고 외우거나 한 계송만이라도 사경한다면, 무간지옥에 떨어질 죄이라도 즉시 소멸되고 이 세상에서 받은 몸과 마음의 모든 병과 모든 고뇌와 아주 작은 악업까지라도 모두 다 소멸될 것이다.

〈화엄경 보현행원품〉

희유하고 희유한 선근인연입니다.

사경을 시작한 지 45년의 세월이 흘렀고, 전통사경을 개척하여 부활시키겠다는 서원을 세우고 사경 전문 전업작가로 전환하여 정진하는 한편으로는 제자들을 양성해 온 지 어느새 25년이 되어갑니다.

지난 25년의 세월 동안 전통사경의 계승과 발전을 위해 앞만 보고 달려왔습니다. 사경 발전을 위하여 저를 필요로 하는 곳이라면 국내외를 마다하지 않고 달려갔으며, 부족하지만 제가 할 수 있는 최선의 노력을 다하고자 했습니다.

현실적으로 여러 한계에 직면하여 좌절할 때마다 큰 스승님들과 후원자님들의 격려에 힘입어 일어서기를 반복해 왔습니다. 그리하여 지금까지 사경을 지속하고 있음은 오로지 불보살님의 크나큰 가피와 사경의 공덕 덕택입니다.

모든 일은 밝은 혜안과 굳은 서원을 지닌 선지식과 시절 인연이 무르익어야만 원만한 성취를 이루는 법임을 생각할 때, 화엄사 덕문 주지스님과의 선근인연은 과거생 여러 겁 사경 인연의 결과로 여겨집니다.

20여 년 전부터 제가 사성한 모든 전통사경 작품은 교본으로의 발행을 기원하면서 제작해 왔습니다만 지금의 시점에서 볼 때 부족함이 전혀 없는 것은 아닙니다. 그렇지만 당시에는 부족한대로 최선을 다했던 작품들입니다. 그렇기에 2014년부터는 어렵게 한 권씩 전통사경 교본 시리즈로 발행을 시작했으며 2017년 5권까지 발행한 이후 3년간 중단되었습니다.

시방삼세 제불보살님들께서 이를 매우 안타깝게 여기신 것 같습니다. 하여 덕문스님같이 전통사경 복원과 부활에 굳은 원력을 지니신 선지식과 선근인연을 맺어 주신 것 같습니다. 더하여 덕문스님께서는 고려시대 이후 700년 동안 단절되었던 사경원의 전통을 잇는 전통사경원을 개설하시면서 저에게 여법한 지도를 요청하시어 21C 한국 사경문화예술 부흥을 선도하심 또한 그러한 가피의 일환으로 여겨집니다.

▫ 일러두기

- 이 책은 저자의 『감지금니〈무구정광대다라니경〉』을 저본으로 하여 제작되었습니다.
- 제1부는 작품을 약간 축소한 원본이고, 제2부는 따라서 쓰고 그려보는 페이지입니다.
- 제1부와 제2부의 사성기 모두 저자의 작품 그대로를 제시하였으므로, 사경의 사성일과 서명부분은 사경수행자님의 발원과 서명으로 바꿔 서사하시길 바랍니다.
- 사경의 개론에 대한 보다 자세한 이론은 저자의 『韓國의 寫經』을 참고하시길 바랍니다.
- 사경 수행법의 보다 자세한 내용은 『수행법 연구』(조계종출판사)를 참고하시길 바랍니다.
- 자세한 경문 서체 학습을 원하시는 분은 저자의 전통사경 교본시리즈 1~4, 〈한글 반야심경〉·〈한문 반야심경〉·〈한글 법성게〉·〈한문 법성게〉의 서체 분석을 참고하시길 바랍니다.

다길 김경호 쓴 전통사경 5

무구정광대다라니경

1판 1쇄 인쇄 | 2020년 2월 28일
1판 1쇄 발행 | 2020년 2월 28일

발 행 인 | 대한불교조계종제19교구본사 주지 초암 덕문
저 자 | 다길 김경호
기 획 | 화엄선재불교연구소 허 권, 김관태, 강선정
펴 낸 곳 | 한국전통사경연구원, 지리산 대 화엄사

제 작 처 | 한국전통사경연구원
출판등록 | 2013년 10월 7일, 제25100-2013-000075호
주 소 | 03702 서울 서대문구 증가로 35-9, 202호 (연희동)
전 화 | 02-335-2186, 010-4207-7186
E-mail | kikyeoho@hanmail.net
블 로 그 | blog.naver.com/eksrnswkths

979-11-87931-07-2

값 30,000원